Von Jal

Zitate & Aphorismen

Herausgegeben von Hajo Noll

›Wegweiser zum Erfolg‹, Band 9

Königsteiner Wirtschaftsverlag GmbH

Die Deutsche Bibliothek - CIP-Einheitsaufnahme

Von Jahr zu Jahr : Zitate & Aphorismen / hrsg. von Hajo Noll. - Königstein/Ts. : Königsteiner Wirtschaftsverl., 1992
(Wegweiser zum Erfolg ; Bd. 9)
ISBN 3-923281-45-5
NE: GT

Typographie und Herstellung: Hans-Joachim Weber
Illustration der Titelseite: Doris Karner-Babel
Satz: Augustin, Fotosatz & Reprotechnik, Wiesbaden
Druck und Bindung: Mainpresse Richter Druck, Würzburg

Ein Wort voraus

Der Jahreswechsel ist für die meisten von uns eine besondere Zeit.

Tage des Ausspannens, des sich Erholens, ein wenig Zeit zur Muße nach allem Streß des vergangenen Jahres.

Augenblicke, Stunden und Tage, an denen wir Bilanz ziehen: die Bilanz eines Jahres für unser persönliches und berufliches Leben.

Was war wesentlich im vergangenen Jahr, was bringt das neue? Was soll bleiben, was wollen wir verändern?

Die Zitate und Aphorismen dieses Bandes wollen Ihnen bei diesen Gedanken ein Begleiter und Anreger sein.

Hajo Noll

Inhalt

Zeit und Entspannung

Denke immer daran, daß es nur eine allerwichtigste Zeit gibt, nämlich sofort.

LEO NIKOLAJEWITSCH TOLSTOI, 1828 - 1910
russischer Schriftsteller und Dichter

Achtet des
einzigen, das ihr habt:
Diese Stunde, die jetzt ist.
Als ob ihr Macht hättet
über den morgigen Tag!
Wir ruinieren unser Leben,
weil wir das Leben immer
wieder aufschieben.

Epikur, 341 - 270 v. Chr.
griechischer Philosoph

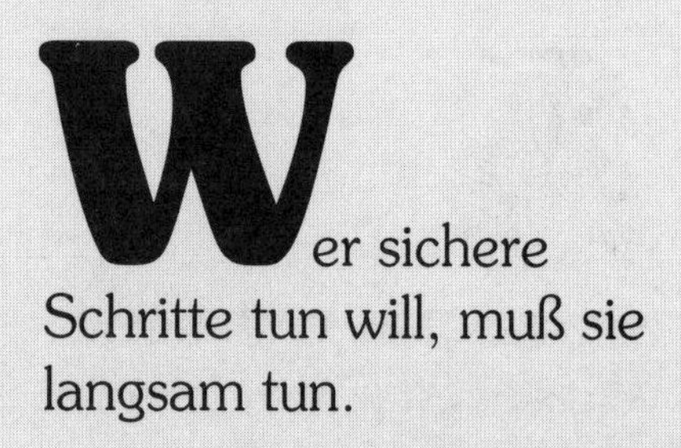

Wer sichere Schritte tun will, muß sie langsam tun.

JOHANN WOLFGANG VON GOETHE, 1749 - 1832
deutscher Dichter

Seelenleiden zu heilen vermag der Verstand wenig, die Zeit viel, entschlossene Tätigkeit alles.

JOHANN WOLFGANG VON GOETHE, 1749 - 1832
deutscher Dichter

Es gibt Diebe, die nicht bestraft werden und einem doch das Kostbarste stehlen: die Zeit.

NAPOLEON I., 1769 - 1821
französischer Kaiser 1804 - 1814/15

Zeitmanagement bedeutet, die eigene Zeit und Arbeit zu beherrschen, anstatt sich von ihr beherrschen zu lassen.

LOTHAR J. SEIWERT, geb. 1952
deutscher Experte für Arbeits- und Erfolgsmethoden, Leiter des Instituts für Zeitmanagement

Unsere Magengeschwüre, Herzinfarkte und Zusammenbrüche werden durch Probleme verursacht, die wir Menschen selbst geschaffen haben: Probleme künstlicher Rangordnung, falscher Autorität, Probleme von Ehrgeiz und Prestige.

FREDERIC VESTER, geb. 1925
deutscher Biochemiker und Fachmann für Umweltfragen

Ein gutes Mittel gegen die Managerkrankheit: Stecke mehr Zeit in Deine Arbeit als Arbeit in Deine Zeit.

FRIEDRICH DÜRRENMATT, geb. 1921
Schweizer Dramatiker

Eilen hilft nicht;
nur zur rechten Zeit
fortgehen, das ist die
Hauptsache.

JEAN DE LA FONTAINE, 1621 - 1695
französischer Schriftsteller und Fabeldichter

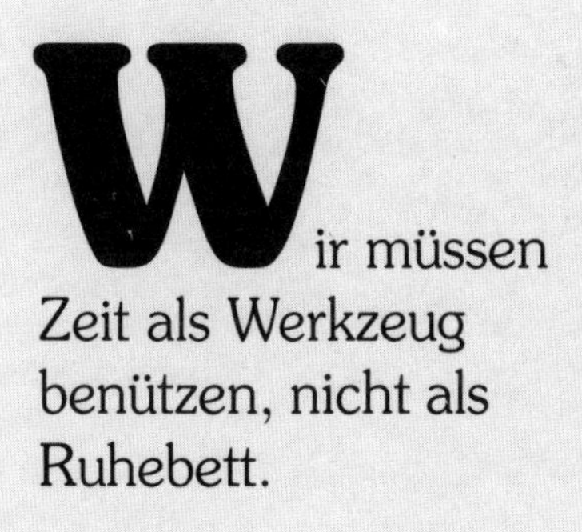

Wir müssen
Zeit als Werkzeug
benützen, nicht als
Ruhebett.

John F. Kennedy, 1917 - 1963
35. Präsident der USA 1961 - 1963

Innerhalb einer Minute kann ich durch eine andere Brille schauen — und schon bekommt ein schlechter Tag ein anderes Gesicht.

Spencer Johnson
Arzt, Psychologe und Autor

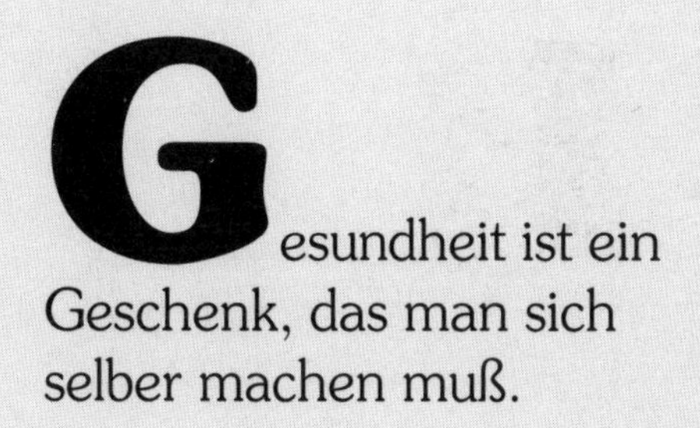

Gesundheit ist ein Geschenk, das man sich selber machen muß.

Schwedisches Sprichwort

Humor rückt den Augenblick an die richtige Stelle. Er lehrt uns die wahre Größenordnung und die gültige Perspektive. Er macht die Erde zu einem kleinen Stern, die Weltgeschichte zu einem Atemzug und uns selber bescheiden.

Erich Kästner, 1899 - 1974
deutscher Schriftsteller

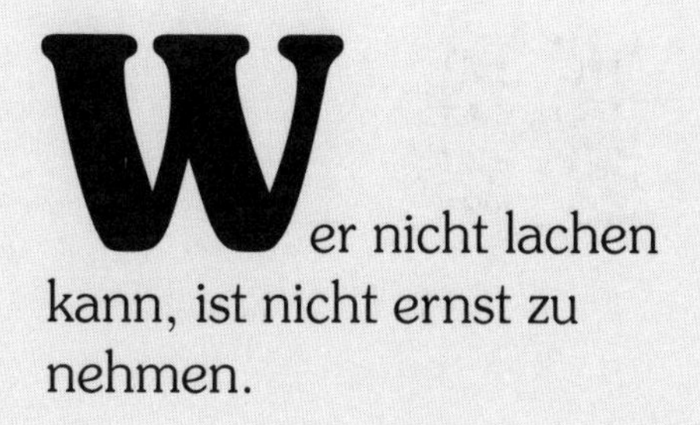

Wer nicht lachen kann, ist nicht ernst zu nehmen.

WILFRIED GUTH, geb. 1919
ehemaliger Vorsitzender des Aufsichtsrats
der Deutschen Bank AG

Das Lächeln, das Du aussendest, kehrt zu Dir zurück.

Indische Weisheit

Innehalten und Vertrauen

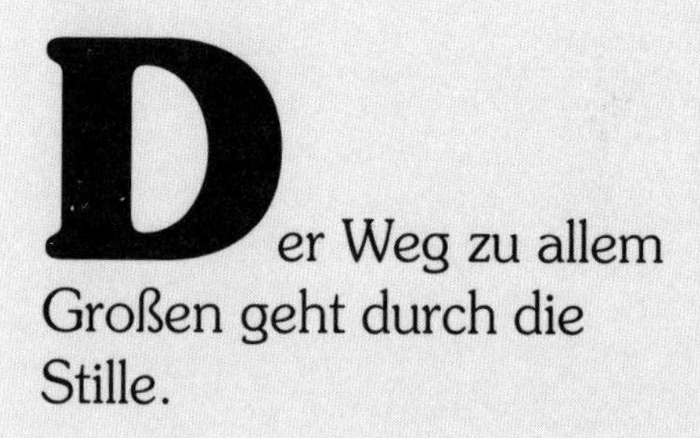

Der Weg zu allem Großen geht durch die Stille.

FRIEDRICH WILHELM NIETZSCHE, 1844 - 1900
deutscher Philosoph

Inseln des Ausruhens, über den Tag verteilt, können die Landschaft Ihres Lebens verändern.

JOHN HARVEY, geb. 1930
amerikanischer Psychologe, Direktor eines Instituts für Gesundheitsvorsorge

Niemand ist vollkommen. Glück heißt: seine Grenzen kennen und sie lieben.

Romain Rolland, 1866 - 1944
französischer Dichter

Zu dem, der warten kann, kommt alles mit der Zeit.

PETER ZÜRN, geb. 1933
Leiter der Baden-Badener Unternehmergespräche und Autor

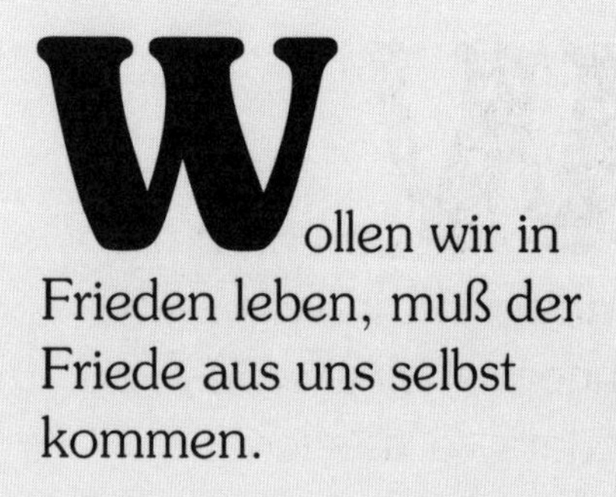

Wollen wir in Frieden leben, muß der Friede aus uns selbst kommen.

JEAN JACQUES ROUSSEAU, 1712 - 1778
französischer Schriftsteller und Philosoph

Wenn man die Ruhe nicht in sich selbst findet, ist es umsonst, sie anderswo zu suchen.

La Rochefoucauld, 1613 - 1680
französischer Schriftsteller, Moralist und Aphoristiker

Wer andern gar zu wenig traut, hat Angst an allen Ecken; wer gar zu viel auf andre baut, erwacht mit Schrecken.

Es trennt sie nur ein leichter Zaun, die beiden Sorgengründer; zu wenig und zuviel Vertraun sind Nachbarskinder.

Wilhelm Busch, 1832 - 1908
deutscher Dichter, Zeichner und Maler

Nur wer selber ruhig bleibt, kann zur Ruhestätte all dessen werden, was Ruhe sucht.

LAO-TSE, um 480 - 390 v. Chr.
chinesischer Philosoph

Habe Vertrauen zum Leben – und es trägt Dich lichtwärts. Vertraue auf Dein Glück – und Du ziehst es herbei.

Lucius Annaeus Seneca, 4 v. Chr. - 65 n. Chr.
römischer Philosoph

Vertrauen ist für alle Unternehmungen das große Betriebskapital, ohne welches kein nützliches Werk auskommen kann. Es schafft auf allen Gebieten die Bedingungen gedeihlichen Geschehens.

Albert Schweitzer, 1875 - 1965
deutscher Arzt, Musiker und Kulturphilosoph

Jemandem
Vertrauen schenken heißt,
ihm die Möglichkeit zur
Machtübernahme geben
und daran glauben, daß
er diese Möglichkeit nicht
wahrnimmt.

Sabine Sagermann

Das Glück besteht darin, in dem zur Maßlosigkeit neigenden Leben das rechte Maß zu finden.

LEONARDO DA VINCI, 1452 - 1519
italienischer Maler, Bildhauer, Architekt und Naturforscher

Die wahren Lebenskünstler verglei-chen sich grundsätzlich nur mit Leuten, denen es schlechter geht als ihnen.

André Maurois, 1885 - 1967
französischer Schriftsteller

Der Himmel hat dem Menschen drei Dinge gegeben als Gegengewicht gegen die vielen Mühseligkeiten des Lebens: die Hoffnung, den Schlaf und das Lachen.

Immanuel Kant, 1724 - 1804
deutscher Philosoph

Glück ist,
wenn man zusieht,
wie die Zeit vergeht,
und hofft, daß sie
für einen arbeitet.

WERNER FINCK, 1902 - 1978
deutscher Kabarettist und Schriftsteller

Wesentliches

Mensch, werde wesentlich: Denn wenn die Welt vergeht, so fällt der Zufall weg;
das Wesen, das besteht.

Angelus Silesius, 1624 - 1677
deutscher religiöser Dichter

Reich ist man nicht durch das, was man besitzt, sondern durch das, was man mit Würde zu entbehren weiß, und es könnte sein, daß die Menschheit reicher würde, indem sie ärmer wird, und gewinnt, indem sie verliert.

IMMANUEL KANT, 1724 - 1804
deutscher Philosoph

Probleme sind
nicht dazu da, gelöst zu
werden, sondern um die
notwendige Spannung
zum Leben zu geben.

HERMANN HESSE, 1877 - 1962
deutscher Dichter

Wer nicht jeden Tag sich selbst überwindet, dem ist die Lehre des Lebens nicht eingegangen.

RALPH WALDO EMERSON, 1803 - 1882
amerikanischer Philosoph

Was überhaupt wert ist, getan zu werden, ist es auch wert, ordentlich getan zu werden.

Lord Chesterfield, 1694 - 1773
englischer Schriftsteller und Staatsmann

Geduld ist die bescheidenste aller Tugenden, aber im Leben ist sie die stärkste aller Waffen.

Peter Bamm, 1897 - 1975
deutscher Chirurg und Schriftsteller

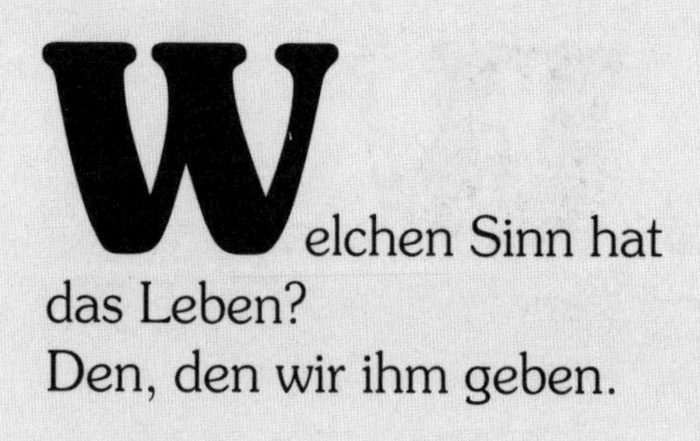

Welchen Sinn hat das Leben?
Den, den wir ihm geben.

THORNTON WILDER, 1897 - 1975
amerikanischer Dramatiker

Wenn wir nicht ständig hinter dem Glück herjagen würden, könnten wir das schönste Leben haben.

EDITH WHARTON, 1862 - 1937
amerikanische Schriftstellerin

Nicht die Dinge beunruhigen die Menschen, sondern ihre Meinung über die Dinge. Wenn wir also auf Schwierigkeiten stoßen, in Unruhe und Kümmernis geraten, dann wollen wir die Schuld niemals auf einen anderen schieben, sondern nur auf uns selbst, das heißt auf unsere Meinung von den Dingen.

EPIKTET, um 50 - 138 n. Chr.
griechischer Philosoph

Grundbedingung für das Leben jedes einzelnen ist und bleibt, daß er selber versuche, sich zu wandeln. Daß er lerne, die Knüppel, welche man ihm vor die Füße wirft, nicht als Hindernisse, sondern als Sprungbretter zu benützen.

JEAN GEBSER, 1905 - 1973
Schweizer philosophischer Schriftsteller

Man muß das Unmögliche so lange anschauen, bis es eine leichte Angelegenheit wird. Das Wunder ist eine Frage des Trainings.

CARL EINSTEIN, 1885 - 1940
deutscher Kunsthistoriker und Schriftsteller

Wir planen zu wenig, wenn wir Dinge, die in unserer Hand liegen, dem Zufall überlassen. Wir planen zu viel, wenn wir das Ganze der menschlichen Dinge in die Hand unserer Absicht nehmen und verändern möchten.

Karl Jaspers, 1883 - 1969
deutscher Philosoph

Es ist ein Gesetz im Leben: Wenn sich eine Tür vor uns schließt, öffnet sich dafür eine andere. Die Tragik ist jedoch die, daß man nach der geschlossenen Tür blickt und die geöffnete nicht beachtet.

André Gide, 1869 - 1951
französischer Schriftsteller

Karriere und Berufung

Die Menschen sollten nicht soviel nachdenken, was sie tun sollen; sie sollen vielmehr bedenken, was sie sind.

Meister Ekkehart, 909 - 973
Mönch von St. Gallen, geistlicher Dichter

Jeden Tag denke ich daran, daß mein äußeres und inneres Leben auf der Arbeit der jetzt lebenden sowie verstorbenen Menschen beruht, daß ich mich anstrengen muß, um zu geben im gleichen Ausmaß, wie ich empfangen habe und empfange.

ALBERT EINSTEIN, 1879 - 1955
deutsch-amerikanischer Physiker

Hast Du nach innen das Mögliche getan, gestaltet sich das Äußere von selbst.

JOHANN WOLFGANG VON GOETHE, 1749 - 1832
deutscher Dichter

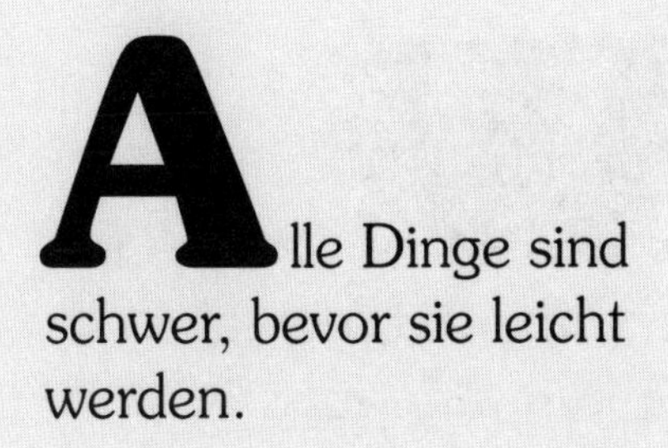

Alle Dinge sind schwer, bevor sie leicht werden.

Persisches Sprichwort

Was immer Du tun kannst oder wovon Du träumst – fange es an. In der Kühnheit liegt Genie, Macht und Magie.

Johann Wolfgang von Goethe, 1749 - 1832
deutscher Dichter

Jeder Mensch hat seine eigene Berufung. Das Talent ist der Ruf. Es gibt eine Richtung, in der der ganze Weltraum für ihn offen ist.

RALPH WALDO EMERSON, 1803 - 1882
amerikanischer Philosoph

Die Perle kann ohne Reibung nicht zum Glänzen, der Mensch ohne Anstrengung nicht vervollkommnet werden.

KONFUZIUS, 551 - 479 v. Chr.
chinesischer Philosoph

Das Glück besteht nicht darin, daß Du tun kannst, was Du willst, sondern darin, daß Du auch immer willst, was Du tust.

LEO NIKOLAJEWITSCH TOLSTOI, 1828 - 1910
russischer Schriftsteller und Dichter

Die Kunst zu leben besteht darin, die Sache zu finden, der man dienen will sowie die Tätigkeiten zu entdecken, die im Einklang mit unserem Gewissen stehen und die wir gut ausführen können, und eine Situation zu schaffen, in der wir sie auch gut ausführen können.

Hans H. Hinterhuber, geb. 1938
österreichischer Wirtschaftswissenschaftler

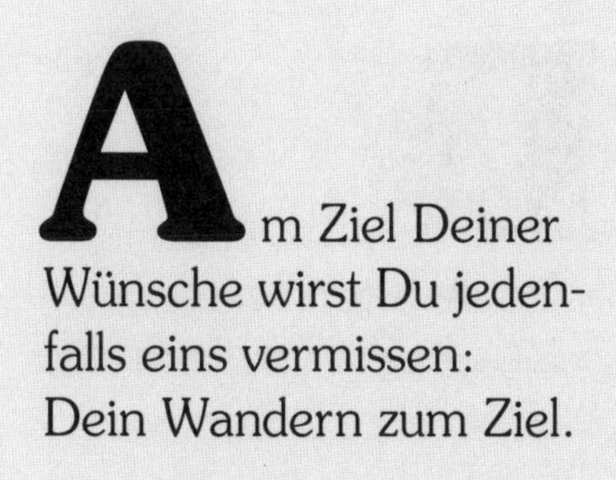

Am Ziel Deiner Wünsche wirst Du jedenfalls eins vermissen: Dein Wandern zum Ziel.

MARIE VON EBNER-ESCHENBACH, 1830 - 1916
österreichische Erzählerin und Aphoristikerin

Was Du immer
je kannst werden, Arbeit
scheue nicht und Wachen
– aber hüte Deine Seele
vor dem Karriere-Machen.

Theodor Storm, 1817 - 1888
deutscher Schriftsteller

Ausblick
ins neue Jahr

Oft ist das Notwendige und Befreiende nur möglich, wenn es in der Kraft des ersten Augenblicks geschieht.

ROMANO GUARDINI, 1885 - 1968
deutscher Religionsphilosoph

Versuche nicht,
Stufen zu überspringen.
Wer einen weiten Weg
hat, läuft nicht.

Paula Modersohn-Becker, 1876 - 1907
deutsche Malerin

Begeisterung ist die Elektrizität des Lebens. Wie erwirbt man diese Fähigkeit? Indem man sich begeistert, bis es einem zur Gewohnheit wird. Begeisterung bedeutet leben, Initiative ergreifen, den Wert des eigenen Handelns erkennen, ihm Würde verleihen, ihm vor

sich selbst und anderen
die Geltung verschaffen,
die ihm zukommt.

KURT HANNING
Schweizer Unternehmensberater

Idealistisch darf
nur die Richtung sein;
alles andere muß prakti-
kabel sein.

YEHUDI MENUHIN, geb. 1916
amerikanischer Violinist und Dirigent

Heute sorget ihr für morgen, morgen für die Ewigkeit. Ich will heut' für heute sorgen. Morgen ist für morgen Zeit.

FRANZ GRILLPARZER, 1791 - 1872
österreichischer Dichter

Je üppiger die
Pläne blühen, desto
verzwickter ist die Tat.

Erich Kästner, 1899 - 1974
deutscher Schriftsteller

Das Merkwürdigste an der Zukunft ist wohl die Vorstellung, daß man unsere Zeit später die gute, alte Zeit nennen wird.

ERNEST HEMINGWAY, 1899 - 1961
amerikanischer Schriftsteller

Ich mache
schon lange keine
Prognosen mehr,
und schon gar nicht
für die Zukunft.

KARL OTTO PÖHL, geb. 1929
Präsident der Deutschen Bundesbank
1980 - 1991

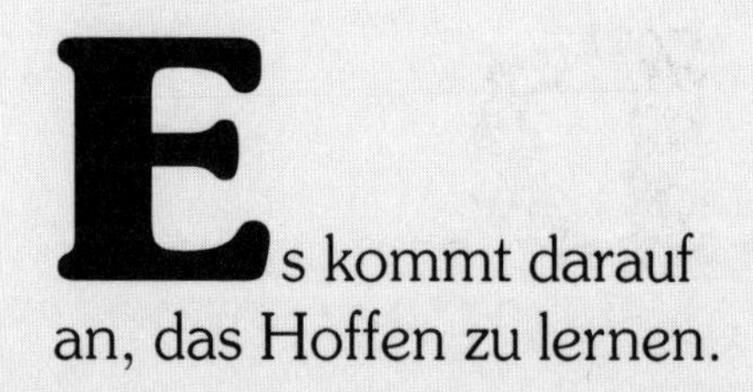

Es kommt darauf an, das Hoffen zu lernen.

Ernst Bloch, 1885 - 1977
deutscher Philosoph

Der Neujahrstag ist der Geburtstag eines jeden Menschen.

CHARLES LAMB, 1775 - 1834
englischer Schriftsteller

Jeder hat Grund, den Beginn des neuen Jahres zu feiern; er hat ja das alte überlebt.

LOTHAR SCHMIDT, geb. 1922
deutscher Politologe, Aphoristiker

Ein neues Jahr
hat seine Pflichten,
ein neuer Morgen
ruft zur frischen Tat.
Stets wünsche ich ein
fröhliches Verrichten und
Mut und Kraft zur Arbeit
früh und spat.

JOHANN WOLFGANG VON GOETHE, 1749 - 1832
deutscher Dichter

Schenke mir das Fingerspitzengefühl, um herauszufinden, was erstrangig ist. Bewahre mich vor dem Glauben, es müsse alles glatt gehen im Leben. Erinnere mich daran, daß das Herz oft gegen den Verstand streikt. Schicke mir im rechten Augenblick jemand, der den Mut hat, mir die Wahrheit über die Liebe zu sagen.

Gib mir das tägliche Brot für Leib und Seele, auf offener Straße eine Geste Deiner Liebe, ein freundliches Echo und wenigstens hin und wieder das Erlebnis, daß ich gebraucht werde. Mache aus mir einen Menschen, der einem Schiff mit Tiefgang gleicht, um auch die zu erreichen, die unten sind. Gib mir nicht, was ich wünsche, sondern was ich brauche.

ANTOINE DE SAINT-EXUPÉRY, 1900 - 1944
französischer Pilot und Schriftsteller

Die bisher erschienenen Bände der Reihe Wegweiser zum Erfolg:

Erfolg. Zitate & Aphorismen

Motivation. Zitate & Aphorismen

Qualität. Zitate & Aphorismen

Zen in der Kunst, sich selbst und andere zu führen

Kommunikation. Zitate & Aphorismen

Innovation. Zitate & Aphorismen

Gewinn. Zitate & Aphorismen

Im Ruhestand. Zitate & Aphorismen

Von Jahr zu Jahr. Zitate & Aphorismen